# 家族, 기억을 이음

家族, 기억을 이음

지은이  강기영

발  행   2024년 6월 1일
펴낸이   한건희
펴낸곳   주식회사 부크크
출판사등록   2014.07.15.(제2014-16호)
주  소   서울특별시 금천구 가산디지털1로 119 SK트윈타워 A동 305호
전  화   1670-8316
이메일   info@bookk.co.kr

ISBN   979-11-410-8543-8

www.bookk.co.kr

# 家族, 기억을 이음

아버지가 남긴 사진에 붙이는 아들의 글과 사진

글·사진 강기영

# 차 례

●

아버지가 남긴 사진에 붙이는 아들의 글과 사진

●

# 康 炳 賢

1926. 2. 3. 生
평안북도 정주시 고안면 봉명리 65
서울특별시 마포구 신수로 107
6.25 · 월남전 참전/화랑무공훈장 수훈
알츠하이머 장기요양 4등급
現 서울 현충원 충혼당 3층 305

# 프롤로그

사람이 세상에 오고, 또 간다.
누구의 삶이든 시작이 있고 마지막이 있다.
살아가면서 생각과 행동은 어떻게 변해 가는가.

한 사람의 인생은 매 순간 새롭게 형성된다.
사람은 자연과 사회와 다른 사람과 불화하며 또 화해한다.
평생 형성되어가던 사람들은 어떻게 형해화 되는가?

삶의 궤적이 그대로 기록되면 역사가 된다.
역사에는 늘 햇살의 밝음보다 퍽 깊은 어둠의 그늘이 있다.
외로울 수밖에 없는 한 사람에게도 마찬가지다.

역사 속을 의연히 걸어 피안으로 떠나 가버린,
한 사람을 깊게 추억한다.
기억하는 자만의 기억의 몫만큼.

이제, 아버지와 아들에게 이 책을 바칩니다.

아이들은 자라나서 카메라를 피하고…

아내는 늙어 보인다며 얼굴을 피하고…

# 뷰 파인더로 말하기

◆ '사진작가 리차드 아베든 Richard Avedon은 어느 날 79세 노인을 촬영하기 시작했다. 6년에 걸쳐 찍은 100여 점의 사진 중 8장을 골라냈다. 마지막 사진을 찍은 지 한 달 만에 노인은 세상을 떠났다. 6년 동안 시간이 흐르며 급격히 노인의 체력이 쇠퇴해 가는 모습이 여실히 보인다. 암에 걸려 윤기를 잃은 피부에는 반점이 점차 커지고 있었다. 마지막 여덟 번째 사진에서는 노인의 눈은 허공을 응시한 채 빈사 상태에 놓여있다. 그럼에도 냉정하게 셔터를 누르는 사진가. 그의 아버지가 바로 그 노인이다.'

◆ 2017년 사진가 김희진은 아버지의 이름으로 된 사진집 『金順喆』 (ILU 刊)을 펴냈다. 작가 노트에는 "그는 나의 아버지가 아니다. 그는 당신의 아버지가 아니다. 그는 살아있는 이 시대의 초상이며, 우리 모두의 아버지다."라고 적었다.

◆ 두 사람의 글을 읽고, 말이라는 수단으로 대화할 수 없거나 세상에 부재한 아버지와도 사진으로 소통할 수 있다고 생각했다. 아버지 사진을 꺼내 놓고 자세하게 보기 시작했다. 누렇게 변한 흑백 사진들, 탈색이 시작된 컬러 사진들. 코팅된 앨범의 비닐 옷 속에서 숨 막히게 박제되었던

사진들에서 온기가 돌기 시작했다. 한참을 들여다보니 점차 사진 속에 사람들이 살아나기 시작했다. 배경도 조금씩 선명하게 되살아나며 원근감이 떠오르기 시작했다. 지나간 시간을 적분했던 사진들은 마치 해빙처럼, 저마다 기억을 미분하며 되살아나 춤추기 시작했다. 그때.

◆ "안녕 제프!" 사진이 내게 말 걸기 시작했다.

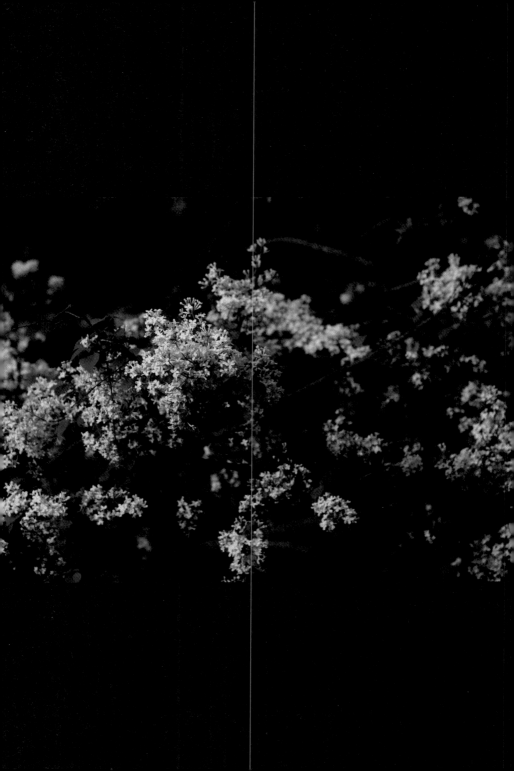

家族, 기억을 이음

하나, 겨울

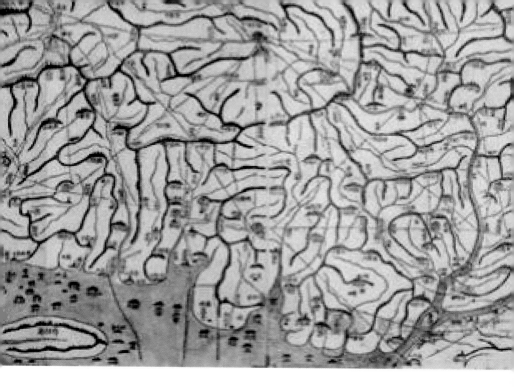

## [평안북도 정주군 고안면 平安北道 定州郡 高案面]

정주군의 북부에 위치한 면. 면적 193.04㎢, 인구 1만 6802명(1944년 당시). 면소재지는 소암동. 1931년 고현면(高峴面)·신안면(新安面)·동주면(東州面)을 병합하여 고안면이 되었다. 면의 서쪽 경계에 심원산과 독장산이 있으며, 달천강이 중앙을 남동류하여 남부 일대에서 곡류하면서 넓은 충적지를 형성하였다. 쌀이 많이 생산되며, 신탄·고사리·버섯류의 생산이 많다. 소나무·단풍나무·잣나무 등이 침엽수림을 이룬다.

평북선 철도와 도로가 중앙을 남북으로 통과하여 교통이 편리하다. 국암사(菊庵祠), 심원사·상원암(上院庵)·수도암(修道庵)이 있고, 송림이 울창하고 계류가 깨끗하여 풍치가 아름답다. 이 밖에도 무릉탄(武陵灘)과 석수봉(石秀峰), 미륵당(彌勒堂), 약수천(藥水泉)이 있다.

교육기관으로는 국민학교 1개 교가 있고, 봉명(鳳鳴)·소암(小巖)·안흥(安興)·송정(松亭) 등 12개 동리가 있다. 출처 : 한국민족문화대백과사전 발췌

# 상실의 실상

▶ "가출" 수도전기학교 수학

▶ "쾌재를 불렀다"

家族, 기억을 이음

# 상실의 실상

죽음은 삶의 반대편에 있는 것이 아니라,
그 일부로서 존재하고 있다.
- 『상실의 시대』, 무라카미 하루키

그 시절은 그랬다.
잃어버리는 것이 예사였던,
그보다는 아예 가진 것들이 없었던,
그래서 잃을 것조차 없었던,

어린 나이에
나이 어린 계모를 밀쳐내고
집을 나선다.

정주에서 서울로.

# 牛步, 일보 또 일보

▶ "우보" 한강 상암지구 둔치

# 牛步, 일보 또 일보

소 牛해에 태어나
한 걸음

가난한 집을 나와
한 걸음

느린 걸음으로
한 걸음

수도전기학교를 거쳐
한 걸음

군문 軍門에 투신해
또 한 걸음.

　　家族, 기억을 이음

둘, 봄

# 솟대, 드높은 곳으로

▶ "솟대"

# 솟대, 드높은 곳으로

부대 막사 앞에 우뚝 선 채
먼 곳을 응시하는 눈길.

소를 찾는
심우 尋牛의 눈빛이었을까?

먼 곳을 응시하는 솟대
날지 못하는 나무 새.

바람에 어울리며
눈과 비 맞아가며
먼 곳만을 쳐다보고 있다.

# 들꽃, 무리지어 피어나지만…

# 들꽃, 무리 지어 피어나지만…

어둠이 내려와
분별할 수 없는 대지
검은 도화지 같은 산하에 예광탄이 어지러이 날아간다.

총성과 함께, 포성과 함께 소란스러운 전장
굉음을 내며 폭발하는 살상의 불길
피아를 구별할 수 없는 밤이 더디게 흐른다.

야음 내내 이어지는 긴박한 공방
습관처럼 또 새벽은 다가오고
포연 속에 소음 점차 잦아들면
비명 속 처참한 살상의 잔해가 드러난다.

후송병원 천막 병실 울타리에는
한 무더기 들꽃이 하늘거리며
무심하게 무리 지어 피어난다.

# 낙수, 흘러가는 세월…

▶ "선유도 공원" 설계 : 정영선 『시간의 정원의 여름』

# 낙수, 흘러가는 세월…

떨어지는 물처럼 살라 했다.
스쳐가는 바람처럼 살라 했다.

부딪치는 대로
구르는 대로
흐르는 대로

떨어지는 대로
돌아가는 대로
세월 가는 대로

물처럼 살라 했다.
바람처럼 살라 했다.
흘러가는 세월처럼.

셋, 여름

# 첫돐. 이우환_『관계항』

▶ 이우환 『관계항-만남의 탑』 1985년 @서울 프레스센터
"돌과 철판은 아버지와 아들 같은 관계"다.
"돌과 철판의 만남은 문명과 자연의 대화로,
이를 통해 미래를 보여주는 작품"

# 첫돌. 이우환_『관계항』

선남과 선녀가 만나
가슴 시린 사랑을 하고
아이를 보듬어 키워 갑니다.

하늘에서 땅으로 내려와
일가를 이루고
희로애락 속에서
생로병사 합니다.
궁극에는 땅의 아래로 갑니다.

사람 가는 길 중간에
차려내는 잔칫상과, 가신 다음 제사상은
똑같습니다.

그 먼 길 함께 가는 가족은
가슴 아린 관계입니다.
누운 돌과 서서 바람 막아주는 쇠처럼.

# 빈 옷걸이, 빈 줄에 걸려

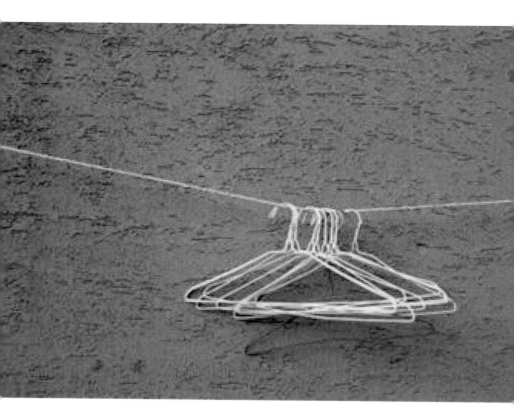

▶ "어름사니 장대"

# 빈 옷걸이, 빈 줄에 걸려

덜렁 걸린 채
펄럭입니다.
흔들립니다.
빈 내 마음처럼

세상만사 알 수 없어
물음표 모양.
갈고리는 불안한데

세모꼴 몸통 안으로
쉼 없이 바람이 드나들고

어름사니1) 줄 같은
빨랫줄에 걸려
나부끼는 신산한 우리 삶.

---

1) 어름사니 : 무형문화재 3호 남사당놀이 중 줄타기 연희

# 또 다시 사지로, 베트남전 참전

▶ "Departure" 용산역 앞 KTX

# 또다시 사지로, 베트남전 참전

내가 그댈 만났다는 것을 우연이라 말거라.
그댄 내게 아무런 일 없이
가까이 다가왔다 표연히 떠나간다.
나는 그댈 기억하며
항상 뒤에서 바라보며 감사해.

나는 그댈 오래 바라보다 창을 열고
두 팔 벌려 선다.
그댄 나를 아무런 말 없이
가만히 숨죽이며 바라본다.

나는 그대 숨결 느끼며
창가로 지나가는 바람, 가슴에 담지.
그 속에 망설인 근심 후회 눈물 서러움 기다림......
다 담겨있으니.
또다시 만날 수 있으리니
내가 그댈 만났다는 것을 절대로 우연이라 말거라.

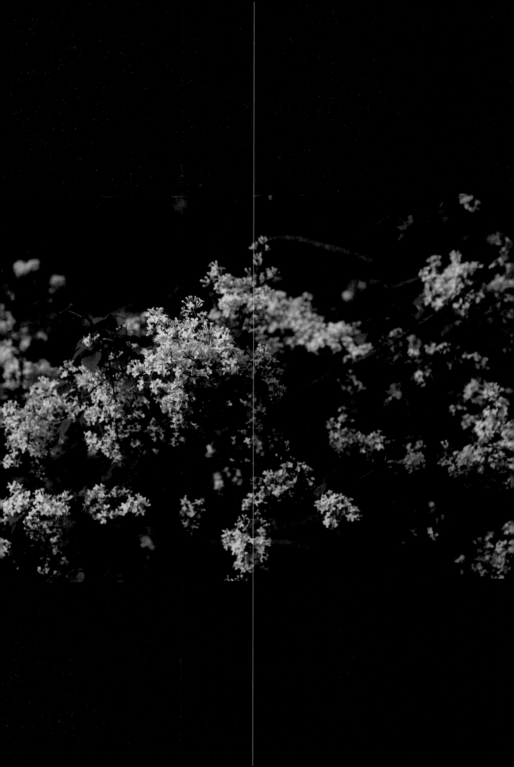

넷, 가을

# 매슬로 욕구 2단계

# 매슬로 욕구 2단계

물에는 길이 없어
그저 그렇게 물처럼
낮은 곳으로만
흘러간다.

바람에는 길이 없어
바람처럼
길 없는 바람처럼
헤맨다.

내 욕망에도 길이 없어
꿈처럼 한때
젊은 날의 먼 꿈처럼,
고개 마루턱에 처연히 서서
걸어온 길 가만히 돌아본다.

# 욕망의 분출…

# 욕망의 분출…

아버지는 가족이 살 집을 손수 지었습니다. 볏짚을 썰어 진흙에 섞어 넣은 황토 블록을 찍어 벽체를 세웠습니다. 지붕을 얹어 방을 내었습니다. 온돌을 놓고 부엌 아궁이를 만든 다음 굴뚝을 세웠습니다. 모락모락 피어오르는 첫 연기에 아이들은 환호성을 내질렀습니다. 도배와 콩댐을 한 뒤 그 방에서 비바람과 눈을 피하고, 그사이 막내 여동생이 태어났습니다. 집은 희망이었습니다. 아이들은 성장했고, 부모는 늙어갔습니다.

아버지는 제대하자마자 이른바 '집장사 집'을 몇 채 지었습니다. 경기도 부천군 소사읍 심곡리, 소명학교 앞에 지은 집에서는 별 재미를 보지 못했고, 어머니의 반대로 돈 되지만 험한 건축 일을 미련 없이 접었습니다. 사회의 욕망과 경쟁은 누구에게나 쉽게 허락되지 않았습니다.

오래 살던 집터에, 아버지 생애 마지막 집을 지었습니다. 구옥을 헐어내고 터파기를 시작할 때 갑자기 구안와사가 덮쳤습니다. 뒷일은 어쩔 수 없이 큰아들이 물려받아야만 했습니다.

보금자리를 지어 식솔을 건사하고, 어미 새처럼 모이를 모아다 주던 아버지의 욕심은 위대했습니다. 아들과 함께 지었던 마지막 집은 이제 '부천1-1도시정비사업' 재개발로 조만간 "가옥멸실" 예정입니다.

# 소금으로 만든, 머나먼 산

# 소금으로 만든, 머나먼 산

붓 들기 전, 벼루 위에 먹을 똑바로 세워 먹을 간다.
시간을 미분하듯 막막하게 먹 갈아낸다.
머리에서 가슴까지 모두 검어질 때까지
검게, 더욱더 검게 먹 간다.


회칼 한 자루 벼린다.
손톱 끝, 심장 한 터럭 슴벙슴벙 무 썰려 나가도록 날 세운다.
욕망도 미련도 베어낸다.


머나먼 서쪽으로 자꾸 가면 하얗고 높은 산이 하나 있어
태양 작열하는 여름날 대파2) 들고 밀어내고 밀어내면
그 산은 거듭 높아진다.


그리고 소금산 위에, 눈물 같은 비가 여러 날 온다.

---

2) 염전 바닥에서 소금을 미는 도구

# 고래 울음 우는 깊은 바다

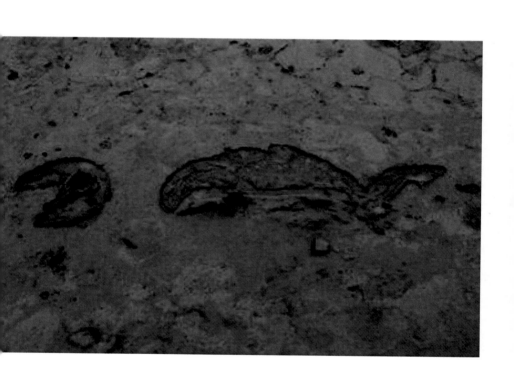

家族, 기억을 이음

# 고래 울음 우는 깊은 바다

아버지는 낚시를 좋아했습니다. 휴일 낚시에 가끔 큰아들을 데리고 집을 나섰습니다. 낚시를 즐기기에는 어린 나이여서 낚시터에서 진흙을 물에 적셔 조물거리며 놀거나, 메뚜기를 잡아 풀에 꿰다가 이내 심심해져, 동네에 남아있을 친구를 궁금해 했습니다.

기다리던 것은 점심 김밥. 김치를 숭덩숭덩 썰어 넣고 길게 눌러서 말은 다음, 38선처럼 가운데를 쓱 썰어낸 굵은 김밥 한 덩어리. 시큼하고 고소한 엄마표 김밥 한 줄로 배를 채우면 식곤증이 노곤하게 몰려왔습니다.

미루나무 그늘에서 잠 깨어나, 눈 비비며 올려본 파란 하늘에 하얀 구름은 무척 시원했습니다. 꽁무니에 흙먼지가 따라오는 낡은 버스를 타고 돌아와 소신 차부에서 내려, 그득한 고기 바구니를 들고, 앞장서 집으로 돌아오는 길은 신이 났습니다.

아버지는 말년에 중랑천에서 낚시를 자주 드리우셨습니다. 물속 고기들조차 영리해져서, 늙어버린 조사 釣士의 우둔한 미끼를 더는 물지 않았고, 아파트에서 중랑천까지 빈 바구니를 메고 그저 걷기만을 하셨습니다. 마침내 작은 아들에게 낚시 도구를 모두 내어주며, 텅 빈 바람이 지나가는 얼굴로 잠시 허전해하셨습니다.

# 함석 지붕에 비 듣는 소리

# 함석지붕에 비 듣는 소리

서강대 지하철역 모퉁이에 숨어있는 가지 잘린 나무 한 그루.
어느 날 맞부딪힌 우연처럼
한여름 꽃 피워 올린다.

함석으로 덧대 올린 가난한 지붕에
장맛비 많이 오신다.
경쾌하거나 묵직하거나 처량하거나 명랑한 물소리 섞여 들린다.

아직도 시린 바람 불어오면
그 꽃숭어리에서 꽃 보라 날려
붉고도 희끗희끗하게 한 뼘 남김없이
어두운 나무 그늘을 덮어버린다.

계절의 끝은 하릴없이 다가온다.
미련도 격정도 미루어두고
올해도 어김없이 적당한 때에
또다시 가을이 달려온다.

# 가족 행복. 능소화

▶ 최정화『장미빛 인생 La Via En Rose』2012년 @서울미술관 앞

# 가족 행복. 능소화

그대 설운 가슴 졸여서

툭. 소리 내며 떨어져 내린 한숨 꽃.


해보다 밝게 웃던 딸 같은

달보다 맑게 웃던 아내 같은

칠월 무더위 아랑곳하지 않고 벙싯 벙싯 피어나던 붉은 꽃.


그대 내 마음 알아줄 때까지

그대 내 사랑 받아줄 때까지

나는 여기서 멈추지 못하고

주책도 없이 해살거리며 계속 피어나고 있을 거예요.


그대 설움 모으고 담아서

툭. 소리 내며 떨어져 내린 눈물 꽃... 한숨 꽃...

# "Twilight_석양, 실루엣"

▶ "Twilight_석양, 실루엣" 한강 둔치에서 절두산 성당

# "Twilight_석양, 실루엣"

앞 사진은 일 년 걸려 찍었다. 서강대교 아래에서 출발해 성산대교 교각을 돌아오는 둔치 길을 자주 달렸다. 가쁜 숨을 몰아쉬며 뛰다가, 양화대교를 지나는 전철 소리에 문득 고개를 들어 뒤돌아본 순간, 얼핏 눈으로 들어온 장면이다. 얼마 후 카메라를 들고 다시 이곳을 찾았으나 너무 어두워져 실패했다. 그다음은 너무 밝고 환해서 느낌을 살릴 수 없었다. 시간에 쫓겨 이내 돌아왔다. 두 차례 더 갔지만, 시간과 노을빛은 적당하지 않았다.

겨울이 지나갔다. 봄이 무르익기 전에 카메라를 채비하여 갔으나, 나무에는 물이 오르고, 잎사귀도 넓어져 있었다. 나뭇잎을 그득 달고 있는 컷도 좋았지만 내친김에 가을까지 기다릴 수밖에 없었다. 찬바람이 몰려오고 마른 나뭇잎이 대부분 가지를 떠났다. 우수수 소리 내며 한강물 위로 멀리 멀리 날아가는 마른 잎을 바라보며 석양의 시간을 설레며 기다렸다.

다시 구도를 잡았다. 이 풍경을 처음 만난 자리에서 칠팔 미터 오른쪽 위치였다. 검은 실타래처럼 엉킨 나뭇가지 사이로 어둠이 점차 내려앉고, 먼 곳에 있는 나무 뒤에는 절두산 성당의 윤곽이 선명하다. 일 년 만에 만난 석양빛은 슬로 타임의 셔터를 허락했다. 어둠은 그윽하고 빛은 사랑스럽다. 태양은 sunset, twilight, dusk 순으로 하루를 마무리한단다. 땅거미가 내려앉을 무렵, 어둠으로 가는 길. 우리 인생도 마찬가지려니······

# 볼 수 없는 대화

▶ "손녀와 함께" 부천시 심곡동

▶ "속 깊은 교감" 서울 신촌 지하철역

# 볼 수 없는 대화

미국에서 유대인으로 성장해, 중재와 의사소통 방법을 가르치던 마셜 로젠버그 박사가 창안한 비폭력 대화(NVC Nonviolent Communication)를 공부한 적이 있다. NVC는 상대를 비판하지 않고 자신을 솔직하게 표현하여, 연민의 대화로 불린다.

바람직한 대화를 위해서는 관찰, 느낌, 필요/욕구, 요청/부탁의 4가지 요소를 먼저 자각한다. 이 네 가지 요소를 솔직하게 표현하고, 공감해야 한다. 소통을 위한 대화는 상대에 따라 상황과 방식도 적당해야 한단다.

다이얼로그, 모노로그, 듀얼로그, 독백(soliloquy), 방백(aside)...... 진심 어린 사람의 마음은 어떻게 이어질 수 있을까?

신촌 지하철역을 나오다 계단에서 서있던 두 청년을 뒤에서 담았다. 검은 안경을 쓰고 하얀 지팡이를 손에 들었다. 사각형 흰 타일 앞에서 진지해 보이는 대화를 끊이지 않고 이어나갔다. 두 사람의 뒤로는 수많은 지하철 승객들이 물결처럼 지나쳐 갔다. 한참 동안 바라보다가 "찰칵" 소리가 방해될까 걱정하며 소극적으로, 살며시 셔터를 눌렀다.

사진 속 할아버지와 손녀는 어떤 대화를 할까?

　家族, 기억을 이음

다섯, **또 겨울**

# 쓸모없어지면 버려지고…

# 쓸모없어지면 버려지고…

방 하나 더 있는 집을 구했다.
혼자되신 아버님을 모셔 왔다.

몸 약한 아내는 쌍둥이 처형들과 합심하여
오래된 집 먼지를 털어내고
묵은 때를 정성껏 벗겨낸다.
따뜻한 느낌 벽지로 도배해
아버님 모실 방을 마련했다.

편안한 의자와 옷장을 준비하고,
욕실 미끄럼 방지 타일을 붙였다.
성능 좋은 공기청정기도 사고,
최신형 비데도 달았다.

하지만 할 수 없는 게 딱 하나 있다.
평생 반려했던 어머님을 함께 모시지 못했다.

# 옆걸음, 게들이 사는 집

▶ 시흥 갯골

# 옆걸음, 게들이 사는 집

점점 멀어져, 보이지 않아도
창가에서 손 흔들어주는, 그리운 사람 있어 행복하다.


골목길 돌아서 보이지 않아도
언제까지 뒷모습 기억해 주는, 서러운 사람 있어 행복하다.


자기가 만들어낸 외로운 섬
고독한 바위들이 모여 사는 섬
섬 같은 세상 속에서
따스한 노란 불빛 속으로 서둘러 돌아가고 싶다.


명랑한 목소리의 아내와 재잘거리며 꼬물대는 아이들
녹슨 식칼과 삐걱거리는 의자들
바랜 책갈피에 끼워진 메모 쪽지
보석처럼 빛나는 가족에게로
빠른 걸음으로 돌아가고 싶다.

# 데이케어

# 데이케어

세월, 그렇게 흐른다.
아무리 아쉬워해도
세월, 그렇게 흐른다.
아무리 잡으려 해도

알 수 없는 시간 속으로
가는 곳 아무도 모르게
돌아온다는 가벼운 약속 없이
끝없이 눈 속에서 멀어져간다.

세월, 그렇게 흐른다.
아무리 그리워해도
세월, 그렇게 흐른다.
아무리 잡으려 해도

한여름 꿈속에 잠깐
그윽했던 추억만 남기고
한 뼘쯤 출렁이는 강 물결
거품 같은 잔무늬 남기고 간다.

# 염해, 점차 메말라가고…

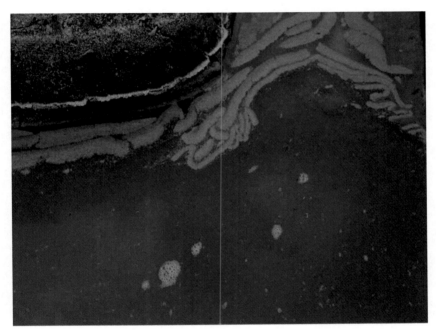

▶ 시흥 갯골

▶ 남해 가인포

# 염해, 점차 메말라가고…

흘러가는 강물 따라
멀어지는 나의 혼
한밤중 검은 하늘
흩뿌려 놓은 은하수 가운데 별

시간은 달과 함께 지나가고
망각 속에 밤이 불현듯 지나가고
드디어 거대해져 소멸한 우주의 빅뱅같이
지나가고 잊힌다.

날다가 날개 꺾인 채
피다가 꽃잎 시든 채
지나가고 잊히고.
오늘 하루 우리 일상도
그렇게 지나가고 잊히고

한때 눈 시리게 푸르렀던 염해 鹽海,
점차 메말라간다.

# 안장식

▶ 서울 국립현충원 2016.12.23.

국립현충원 안장식

# 안장식

탕! 탕! 탕!

서울 동작동 국립서울현충원 충혼당 마당에서 예총 3발이 발사되었습니다. 허공을 가르는 총소리가 멀리 퍼져 나갔습니다. 유족들은 분향과 재배를 마친 다음, 영정과 유골을 모신 영현병을 따라 강당 밖으로 천천히 걸어 나갔습니다. 멀리 한강이 손아귀에 잡힐 듯하고, 푸름을 잃어버린 잔디 위에는 단정한 묘비들이 열 지어 서 있습니다. 겨울 잿빛 하늘은 더욱 낮아지고, 산비둘기 푸드덕 날아오르며, 진눈깨비 몇 가닥 흩어집니다. 부모님은 동작동 국립현충원 충혼당 3층에 자리 잡으셨습니다.

드디어 아버지는 칠 년 전 보내드렸던 어머니와 해후하셨습니다. 이승에서처럼 서로, 반가우실까요? 죽음이 갈라놓는 많은 것들이 불현듯 뒤에 남은 자에게 떠오릅니다. 도심에서 단지 몇 걸음만 비켜 들어오면 이렇게 적막합니다. 스산한 계곡 안에는 도처에 죽음들이 가득한데, 우리는 부산한 저잣거리에서 조급하게 화내며 내며 살아갑니다. 서로 부딪히며 종종걸음 내닫습니다.

집 가까운 병원에 입원을 하신 지 딱 한 달. 여의도성모병원 응급실을 거쳐 사흘 만에 중환자실에서 선종하셨습니다. 가족들은 밤을 지새우며 임종을 지켜보았습니다. 아버지와 작별하고 먼 길로 보내드렸습니다.

집에 들어와 아버님의 방 문손잡이를 차마 열지 못하고, 잠시 머물렀습니다. 기침 소리도 가볍게 들리는듯하고 그저 침대에 가만히 누워 계신

듯합니다. 그런데 이제 "진지 드세요.", "목욕 가세요." 이런 말 할 수 없을 터. 몸 약한 며느리는 시아버지를 칠년 넘게 정성을 다해 모셨습니다. 아들은 요양보호사 자격을 따 손을 보탰습니다.

아흔 넘어가신 아버지의 부재는 곧 일상으로 받아들여졌습니다. 아버지, 어머니! 이승에서 고단함 모두 내려놓으시고...... 살아서는 갈 수 없는 이북 땅 고향도 자유롭게 다녀오시며...... 편히 쉬세요. 2016.12.23.

# 날아라 외로운 새야…

겨울에 세상에 오신 아버지는
또 겨울에 홀연히 먼 길 떠나셨습니다.
다시는 돌아오지 못할……

배웅 후 집에 돌아와 망연히 올려다본 하늘엔
비행기 지나간 흔적이 오래도록 남았습니다.
점차, 그마저 푸른 하늘 속으로 희미하게 사라져 버립니다.

그러자 이제 막 구름이 되어버린
새 한 마리. 천천히 날갯짓을 시작했습니다.
평생을 맘에 두었을, 고향 쪽으로 날아가 버렸습니다.
그 어딘가에서 평생을 함께했던 아내와 다시 만나셨을까요?

그저,
어둠이 창문을 가득 채우고
희미한 달이 서서히 눈에 들어올 때까지
창가에서 하릴없이 서성였습니다.

▶ "雲花鳥" 꽃이 변해 구름 된 새, 2016.12.23

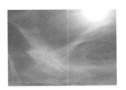

康炳賢

1926.2.3.生

康基英

1957.7.9.生

康瓊斤

1988.2.12.生

# 남은 이들

▶ "남은 이들" 남해 용문사

# 에필로그

**당신 마음은 지금 어떠신가요?**

비로소 이제
어제보다 조금 더 선명하게
기억합니다.

이 기억 영원하길 소망합니다.
하지만 이내,
그 기억은 희미해질 터.

퇴색되는 기억의 끝을 붙잡고
사람의 기억이 조금조금
이어지기를 소원합니다.

**'기억을 이음'으로, 당신 마음이 행복하시길 빌겠습니다.**

▶ "K-판테온" 서울 숲 ©Jeff Young

家族, 기억을 이음